ChristieBooks

This book has been published with the collaboration
of the Junta de Castilla y León as part of its *Libro Abierto* project

**Junta de
Castilla y León**
Consejería de Cultura y Turismo
Fundación Siglo para las Artes de Castilla y León

Este libro ha sido editado con la colaboración
de la Junta de Castilla y León dentro de su plan *Libro Abierto*

WORDS IN THE SNOW
[A FILANDÓN]

PUBLISHED IN SPANISH AS *PALÁBRAS EN LA NIEVE [UN FILANDÓN]*

WORDS IN THE SNOW
[A FILANDÓN]
First edition in Great Britain
CLAVILEÑO BOOKS, Hastings, April — 2007
(an imprint of CHRISTIEBOOKS)
PO Box 35, Hastings, East SussexTN34 2UX
christie@btclick.com

Distributed in the UK by Central Books Ltd
99 Wallis Road, London E9 5LN
orders@centralbooks.com

www.centralbooks.com

ISBN: 1-873976-32-1
ISBN-13: 9781873976326

British Library Cataloguing in Publication Data.
A catalogue record for this book is available from the British Library

P-105/2007

© by Juan Pedro Aparicio, 2007
© by Luis Mateo Díez, 2007
© by José María Merino, 2007
Translation © by Simon Breden Santos, 2007
Cover illustration © by Toño Benavides, 2007
Postscript & Design © Jesús Egido, 2007
Editor: Pauline Melville

WORDS IN THE SNOW
[A FILANDÓN]

Juan Pedro Aparicio
Luis Mateo Díez
José María Merino

Translation by Simon Breden Santos

ChristieBooks

Index

FOREWORD
BY SABINO ORDÁS

SOMEWHERE there is a point where cultural anthropology and literary theory meet and, surprisingly, this point can exist within a person's own experience, within their biography, within their memory.

I lived the art of oral story-telling as a child and as a neighbour during the long nights of the *filandón* as it is known in my part of the world. I have also studied and researched literature for almost as long as I have been alive.

The anthropological value of our great oral tradition still lives in my memory. It is a ritual that was kept alive until certain ways of life in rural communities began to disappear in the final third of the last century.

I am talking of my homeland León, an enclave in the northwest of the Iberian peninsula, akin to those northern European cultures that share with us the changing fortunes and vicissitudes of collective memory. We all know well how Romanticism revived fables, myths, tales and legends to revitalise this rich heritage.

I discovered what fiction was by understanding that when people have no data with which to interpret their reality, they

9

attempt to understand it through stories, the most valuable and ancient aid to the imagination; because fiction, the narrative of the imagination, is a way of interpreting reality through the creation of symbols and this process is part of the human condition.

Fiction belongs to us by natural right. It is our primary form of conscious wisdom.

ON THE STAGE of the *filandón*, in those neighbourly winter gatherings at night, the spoken word —that ancestor of literature which is handed down by repetition and shapes the collective memory— shines as a primary means of talking about the world. It invents, consoles, disturbs, sparks emotions and entertains. It is the word that defends us from death. It strives to explain the realities of life, to cast light on the most unfathomable and mysterious parts of our being or at least to describe them.

Filandón is an ancient dialectical word from León of Latin etymology. It is derived from *filum* or thread taking that name from the nightly gatherings where women sat spinning while everyone told stories. These were winter gatherings of neighbours congregating in the kitchen, the setting where tales could be told in the warmth of the hearth. We are faced with the remote ancestor and primitive form of what is now known as the literary evening; a celebration of the word as a shaper of society; the origin of popular literary genres.

10

Gathering to tell and listen to those stories about life and the world had a ritual function in the *filandones* like many of the other comparable traditions from rural communities.

THESE TYPES of narrative gatherings spread almost as archetypes of what narrative represents. Proof of this is reflected in the significant works passed on by successive cultures from Egyptian tales to Latin and Greek tales, from the *Pantchatantra* and the *Somadeva* to *One Thousand and One Nights*. The narrative flow which comes from the late Latinate period to the Renaissance ends up pooling in collections like *The Book of Count Lucanor and Patronio, The Decameron* or *The Canterbury Tales.*

Narrative gatherings, the attraction of the filandón and the legacy it represents re-emerge throughout the centuries in the most far-flung countries. Its popular and anonymous heritage left a mark on many authors who are drawn to the tradition in their works and who like to celebrate its compelling allure.

The Serapion brethren in the work of Hoffman respond to this call in much the same way that Nikolai Gogol uses the resource in *Dikanka Tales*; so do those friends in Henry James' *The Turn of the Screw* who tell a particularly spine-chilling and mysterious ghost story around the fire.

There is a guiding principle in the narrative structure of the oral tales of the *filandón*, which corresponds with the need for expressive efficacy. This remains a characteristic

element of the genre's legacy right down to the literary short story.

In terms of narrative genres, literary theory considers the tale as the form of fiction that best displays the narrative principle, the primordial model which establishes the fundamental characteristics of its nature.

WITHIN THE NARRATIVE structure, the measure of what is told, its focus and intensity takes on a specific value. These are the elements that we still use to illustrate the modern story and also define another form of story-telling, now very fashionable, known as the micro-story.

The micro-story, the shortest of all stories, is not strictly a contemporary discovery for in the Middle Ages they were already writing very short stories. However, perhaps recently it has been re-born with the intention of seeking an expressive synthesis and narrative concentration, a degree of experimentation and a desire to enlist the reader's collaboration. It has become a very suitable genre for our times where time itself seems more fleeting than ever and there is a certain possibly nostalgic taste for the re-writing of myths.

WORDS IN THE SNOW, words of the snow, these are very expressive metaphorical descriptions of the scenery of the *filandón*. These narrators take on the challenge of what has been called

the intimacy born of the cold outside, a kind of indoor atmosphere, a refuge where we protect ourselves from the adversities of life, creating the atmosphere of a story which will root itself in the sensibilities of both those who tell and those who listen.

Such narrative is the original primordial memory. This is fiction with all its substantial attributes. This is the thread of existence, the plot of reality, the effort of the narrative word to contain all the pleasures of invention.

Sabino Ordás
Ardón, winter 2007

Juan Pedro Aparicio

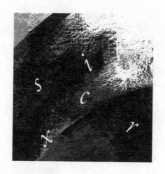

El Cielo

IBA POR EL BOSQUE, con mi perrita y la perdí de vista, algo bastante frecuente y que sólo me preocupaba cuando estábamos cerca de la carretera, como era el caso. La llamé con insistencia, silbé, pero no acudió. Boni, Boni —seguí voceando.

De repente, de entre la espesura vi correr hacia mí a un perro. Tenía ese trote saltarín, con las orejas subiendo y bajando, que obedece a la llamada del cariño. Pero no era Boni, aunque, cuando llegó a mí, intentó encaramárseme. Se trataba de una perrita común de pequeño tamaño, con la piel negra y blanca. Le hice una caricia y, seguí llamando a Boni.

Enseguida vi venir a otro perro, un setter de color cobre, de magnífica estampa cazadora, que también se acercó jubiloso.Y, mientras la perrita y el recién llegado me hacían carantoñas con sus saltos, moviendo los rabos como hélices, yo seguí voceando el nombre de Boni.

Un tercero apareció. Era un cachorro de apenas dos meses, gris y juguetón. Mi padre me había regalado uno igual, un perro lobo, decía él, cuando yo era niño y se me había muerto de parálisis un mes después. Le pusimos Tobi. Algo confundido,

THE HEAVENS

I WAS TAKING my dog for a walk through the woods when I lost sight of her. It wasn't the first time this kind of thing happened but it worried me when we were so close to the road. So I started calling out her name again and again. I whistled but she wouldn't come to heel.

"Boni, Boni", I went on calling.

All of a sudden a dog emerged at a run from the under-growth. She had the same bouncy gait with her ears flapping up and down that heeds the call of affection. But she wasn't Boni — although she did try to clamber all over me. She was a small ordinary looking dog with a black and white coat. I bent down to stroke her but carried on calling for Boni.

Then I saw another dog bounding joyfully towards me; a bronze Setter, a magnificent hunting breed. The newcomer joined the first dog in bounding all around, their tails spinning like propellers. Meanwhile, I continued shouting out Boni's name.

A third dog made an appearance. This one was a puppy barely two months old, ash-coloured and playful. My father

insistí en mi llamada, y sólo cuando ví venir a dos perros más empecé a comprender. Eran Freak y Bolo, los últimos que había tenido, que se acercaron con idéntico alborozo.

Entonces reconocí también a todos los demás. Con cuánta emoción abracé a Lista, la primera en venir; que seguía lamiéndome la cara, y a la que, siendo yo muy niño, mató un coche; a Sol, el perro de Franquito, el único que murió de viejo; a Tobi, el pobre cachorrillo que llevé imprudentemente a un baño en el río.

El médico me había prevenido contra las emociones fuertes y temí que mi cansado corazón fuera a estallar, incapaz de soportar el júbilo que el abrazo de todos los perros que alguna vez había querido me provocaba, saltando y brincando a mi alrededor. Faltaba, sin embargo, Boni. Y, cuando la vi acercarse a la carrera, con ese trote que es una declaración de amor, supe que estábamos ya en la otra vida.

had given me a dog just like it when I was a small boy but it had died of paralysis a month later. He told me it was an Alsatian and we named him Tobi. Somewhat bemused I went on shouting and only when I saw two more dogs coming towards me did I begin to understand. Running straight for me with identical delight were Freak and Bolo.

That was when I recognised all the others. I hugged Lista with great joy. She was the first of the arrivals and was still licking my face. I was just a little boy when she was run over by a car. She had been followed by Sol, Franquito's dog, the only one to die of old age; and Tobi, the hapless puppy I carelessly took with me for a splash in the river.

The doctor had warned me against strong emotions and I feared my poor old heart was about to burst, unable to cope with the rising joy of embracing all the dogs I had ever loved as they leaped and bounded around me. Boni, however, was still missing. And when I finally saw her dashing towards me with a trot that was a pure declaration of love, I knew we had already passed into the next life.

LOS DIARIOS DE ARDÓN

Valeriano Ardón, escritor de obra poco conocida, recibió, cuando la ancianidad le tenía postrado, una insólita carta. «*Querido tatarabuelo*», decía el encabezamiento. La escribía, desde una fecha tan alejada en el futuro como el año 2123, un supuesto nieto de su nieto, que, a renglón seguido, manifestaba su temor a que la carta no llegara a destino, pues se trataba de un experimento de su laboratorio de física para enviar materia al pasado. «*Así que, querido tatarabuelo, si la recibes y la lees —añadía— quiero que sepas lo muy importante que han sido tus diarios para entender tu tiempo, ése que dio la espalda a tus libros, y también el nuestro, y desde luego para el bienestar económico de nuestra familia, pues, dicho sea de paso, de tus diarios ya se llevan vendidos más de mil millones de ejemplares en todo el mundo y no me extraña porque son divertidos y lúcidos, llenos de gracia y talento, y de esa manera son universalmente reconocidos.*»

Una semana antes Ardón había ordenado a su secretaria que destruyera todos sus escritos y documentos personales. «¿Has cumplido el encargo?» —le preguntó. Ella asintió. «¿Los

VALERIANO ARDÓN, a writer of little note whose old age had left him prostrated, received an unlikely letter.

'Dear Great-Great-Grandfather', read the heading.

It was written from as far in the future as 2123 by the supposed grandson of a grandson who went on to express his fears that the letter might not arrive at its proper destination since it was an experiment by his physics lab to send matter into the past.

'So, Dear Great-Great-Grandfather, if you receive and read this —it continued— I want you to know how essential your diaries have been in understanding your time, the period that turned its back on your writing. They've also been key in understanding our own times, and of course they have contributed to the financial wellbeing of our family; since your diaries have, by the way, already sold more than a billion copies around the world, and I'm not surprised because they are lucid and fun to read, full of wit and talent, and that's why they are universally recognised.'

21

diarios también?». «Lo primero, señor, todo ha ardido en la chimenea».

Valeriano Ardón dedicó lo poco que le quedaba de vida a escribir más de dos mil páginas de unos diarios libérrimos y cachondos que tenían muy poco que ver con aquellos que había mandado destruir o con lo que de verdad había vivido.

Only the week before, Ardón had told his secretary to destroy all his personal documents and writings.

"Have you done what I asked you?" He enquired. She nodded. "The diaries too?"

"I burned those first, sir. They all went up in flames."

Valeriano Ardón spent what little was left of his life writing more than two thousand pages of licentious and riotous diaries which had very little to do with those he'd had destroyed or, indeed, with his true life experiences.

Asesinatos

SE HABÍA REFUGIADO en casa de Otegui, un joven aprendiz de escultor que su difunto padre había protegido, pero le habían encontrado y arrastrado hacia el acantilado. Otegui, que sin duda le había vendido, estaba con ellos.

Entre burlas, golpes e insultos, le ataron una enorme piedra al cuello y lo arrojaron por el precipicio como habían hecho con tantos otros derechistas. Sin mucha esperanza, rezó por el milagro de su salvación, no de su alma sino de su cuerpo.

Vio por encima del agua un rayo que se hundía hasta las profundidades que él acababa de tocar. Le pareció que se corporeizaba en un ángel rubio, con túnica amarilla; lo raro era que allí, bajo la masa de agua, sus pliegues ondearan como los de una bandera al viento.

El ángel no sólo le liberó de sus ligaduras, sino que llevó el tiempo hacia atrás, invirtiendo el salto hasta ponerlo de nuevo en la cima del acantilado para seguir luego todos los pasos dados, hasta llevarlo al punto crucial en el que los conspiradores eran derrotados.

MURDERS

HE SOUGHT REFUGE in the house of Otegui, a young apprentice sculptor who had been protected by his late father, but they caught him and dragged him off to the cliff. Otegui, who had no doubt sold him out, was amongst them.

Mocking, beating and insulting him along the way, they tied a large rock to his neck and threw him off the cliff as they had done with so many other rightists. Without a great deal of hope he prayed for the miracle of salvation, not of his soul but of his body.

He saw a ray of light hit the surface of the water and descend towards the same depths he had just reached. It seemed to him to metamorphose into a blonde angel wearing a yellow tunic. The odd thing was that there, under the weight of so much water, the folds in his clothes rippled like a flag in the wind.

The angel not only freed him of his ropes but also reversed time, inverting the fall until he replaced him back on the cliff and then retraced every step until arriving at the crucial moment when the conspirators were defeated.

Ahora habían resultado vencedores y era él, con los suyos, quienes arrojaban a los izquierdistas al abismo con piedras atadas al cuello, Otegui entre ellos. No iba a olvidar nunca su mirada de terror.

Vio entonces un relámpago lejano y echó a correr dispuesto a esconderse.

Temía que Otegui fuese rescatado del agua por un ángel y fuese él quien de nuevo ocupase su lugar. Luego se ahogó.

Now they became the victors and it was he and his people throwing leftists into the abyss with rocks tied around their necks, Otegui among them. He would never forget his expression of terror.

Then he saw a distant bolt of lightning and he ran to find a hiding place.

He feared that an angel would rescue Otegui from the water, and he would once again occupy his place. Then he drowned.

No se me oye

Ningún sonido sale de mí; articulo las palabras perfectamente, pero las ondas sonoras que emanan de mi cuerpo vuelven sin salir jamás de él, como aseguran los astrónomos que ocurre con la luz en los agujeros negros.

He tenido problemas en casa y en la escuela, en todos los sitios ciertamente, porque, aunque, como ya he dicho, no soy mudo, nadie me puede oír, como tampoco pueden oírse mis pisadas, mis cuescos, mis palmadas. Todo lo que toco me traspasa con sus ondas sonoras que permanecen en mí y que me convierten en esta persona enérgica que soy.

Pero ¿de qué vivir? ¿a qué profesión dedicarme? Un malévolo compañero de la calle me aventuró una carrera de asesino en Nueva York, dado que no necesitaría llevar silenciador, pero también podría ser acomodador en los teatros más lujosos, porque si yo abro una puerta ésta no emite ruido y si acompaño a una persona, basta que vaya de mi mano, para que nadie pueda oír sus pasos

No se qué hacer, sin embargo. Y no encuentro demasiada comprensión en mi entorno. Me gustaría ser como los demás,

I Can't be Heard

Not a sound comes from me. I articulate words perfectly well but the sound waves that emanate from my body return without ever leaving it, just as astronomers say happens with light in black holes.

I've had trouble at home and at school, everywhere to be honest, because although I keep saying I'm not a mute, no one hears me, just as no one hears my footfalls or my farts or my applause. Everything I touch pierces me with sound waves that remain within me and transform me into a creature of energy.

But what to live on? What job to pursue? A malicious friend suggested a career as an assassin because I wouldn't have to carry a silencer. But I could also be an usher in a luxurious theatre, because if I open a door it won't emit a sound and if I lead anyone to their seat they only have to take my hand for their footsteps to fall silent.

However, I am at a loss at what to do. And I can't seem to find much sympathy from those around me. I want to be like everyone else and be heard too. I even consulted a psychiatrist who told me:

que se me oyera. He visitado a un psiquiatra que me ha dicho: «A usted no le oyen, pero a los demás no nos escuchan. Así que tómeselo con calma.»

Creo que acabaré yéndome a vivir a otro país. A lo mejor fuera de aquí sí se me oye.

"People may not hear you but no one listens to anyone else anyway. So relax."

Perhaps I'll end up going to live in another country. Maybe I can be heard elsewhere.

LA TRAICIÓN

Eʟ ʙᴏᴍʙᴇʀᴏ se encarama a lo más alto de la escalera de socorro. La mujer, una mujer joven, le tiende sus manos entre toses y lágrimas desde el hueco de la ventana. Tiene los ojos azules y el pelo muy corto. «¿Hay alguien contigo?» —pregunta el bombero, mientras intenta sujetarla con una correa.

Ella parece no entender y le mira aturdida, una mirada en la que más allá del pánico hay curiosidad y sorpresa, como extrañada de conocerle en situación tan extrema. «Nadie. Nadie —dice por fin—. Estoy sola». El bombero termina de sujetarla y ella se le abraza.

Inician el descenso fuertemente entrelazados. Es entonces cuando nota que apenas respira, intoxicada por el humo que ha llenado sus pulmones.

«Tranquila, tranquila», le dice, y mientras baja con cuidado pero deprisa imagina lo que sería su vida al lado de ella, tan guapa y tan dulce, porque ya antes de llegar al suelo se le ha declarado y se han casado y han tenido dos hijos y están siendo muy felices.

Desgraciadamente los servicios médicos que esperan abajo nada pueden hacer por ella y cuando el bombero llega a su

The Betrayal

THE FIREMAN climbs to the highest rung of the emergency ladder. The woman, a young woman, stretches out her hands from the open window amidst coughs and tears. She has blue eyes and cropped hair.

"Is there anyone else with you?" Asks the fireman while he tries to secure her with a strap.

She seems not to understand and looks dazed. Her expression shifts beyond panic and registers curiosity and surprise, as if puzzled to meet him under such extreme circumstances.

"No-one. No-one." She says at last. "I'm on my own." The fireman finishes securing her and she holds tight on to him.

They begin their descent fiercely entwined. It is then that he notices that she is barely breathing, overcome by the smoke blackening her lungs.

"Relax. Relax." He tells her. And while he descends cautiously but speedily, he imagines what it would be like to live with her, so beautiful and so sweet, because by the time they've reached the ground he has declared his love for her

casa y su mujer se interesa por él siente que ya no la quiere, que la ha engañado con otra, y decide pedirle el divorcio.

and they've married and had two children and are living hap-
pily ever after.

Unfortunately, the awaiting paramedics on the ground
can't do anything for her and when the fireman arrives home
and his wife asks about his day, he feels that he has fallen out
of love with her, that he has betrayed her, and he decides to
ask her for a divorce.

HAMBRE

ERA EVIDENTE que aquellos extraterrestres pertenecían a una civilización muy avanzada. De hecho, la máquina que los transportaba no era sino ellos mismos que, bien agrupados, parecían un enorme y oscuro cuerpo metálico capaz de resistir la ausencia de presión atmosférica de los vacíos siderales. Pero ya en la Tierra se desperdigaron en millones de figuras negras y altas que inspiraron el terror por doquier. Naturalmente que su primera visita fue a los Estados Unidos de América. Entraron en el despacho oval de la Casa Blanca sin que nadie pudiera detenerlos. De un bocado se comieron al Presidente, luego al Secretario de Estado, y así, de dos en dos o de tres en tres, engulleron a todo el Gabinete. No hubo forma de comunicarse con ellos pues no hablaban inglés, pero se comprende que después de un viaje tan largo trajeran mucha hambre.

HUNGER

IT WAS OBVIOUS that the extraterrestrials belonged to a very advanced civilisation. In fact, the machine that carried them was nothing more than their own bodies tightly compacted together, resembling an enormous dark metallic object able to resist the absence of atmospheric pressure in the emptiness of deep space. But once on earth they separated into millions of tall dark figures spreading terror wherever they went. Naturally, their first visit was to the United States of America. They walked into the Oval Office of the White House without anyone being able to stop them. In one gulp they ate the President, then the Secretary of State, and so two by two or three by three, they ate the entire cabinet. There was no way of communicating with them as they did not speak English, but it was perfectly natural that after such a long journey they would be absolutely famished.

No fue posible la paz

Metieron en un gran ordenador los datos que enviaban las sondas galácticas a fin de tener por primera vez una perspectiva del Universo desde fuera de sí mismo. Los hombres no salían de su asombro. Visto en la pantalla del monitor el Universo tenía rostro humano. O mejor, tenía rostro divino: el de la Sábana Santa de Turín. Ante tamaña evidencia, ¿sería al fin posible la armonía universal? Se hicieron nuevas comprobaciones y empezaron las disidencias. Unos negaban que la sombra sobre el labio superior fuese un bigote; otros, que la sombra bajo la barbilla fuese una barba. Algunos lo negaban todo y veían en aquel rostro a una vieja horrible con la nariz y el mentón como carámbanos. Otros, a una elegante dama con sombrero de plumas. Estábamos, pues, como al principio.

PEACE WAS NOT POSSIBLE

THEY INPUT all the data the galactic probes were sending into a mega computer in order to gain, for the first time, a perspective of the universe from the outside. Humanity couldn't believe its eyes. Seen on a screen, the universe had a human face. Or rather it had a divine face: that of the Holy Shroud of Turin. Faced with such incontrovertible evidence, would universal peace be at last attainable? A few cross-checks were made and the disagreements began. Some denied that the shadow over the upper lip was a moustache. Others denied that the shadow under the chin was a beard. Some denied the whole thing, and saw in that face a horrible old woman with a nose and chin like pointy icicles. Others saw an elegant young lady wearing a feathered hat. And so we were right back where we started.

Un hombre bueno

PROTAGONISTA DE MUCHAS infidelidades, no de un día ni de dos, sino de meses y hasta de años, según se decía, Eusebio, tan mujeriego él, no había sido un buen marido. Por eso ahora, con los dos ya ancianos, y ella padeciendo de Alzheimer, las vecinas se arrepentían de haberle criticado, porque había que verlo, tan solícito y sacrificado con su mujer, la pobre Ignacia, que se lo hacía todo encima y Eusebio la limpiaba y la aseaba y le hacía la comida y se la daba y le limpiaba las babas. Y así estuvo hasta que murió en sus brazos, bien atendida y sintiéndose querida, aunque ya ni juicio tuviera, la pobre. Las vecinas, después del entierro, le decían a Eusebio en el momento del pésame lo muy bueno que había sido, y tantos eran los elogios, que lo abrumaban: «Nada especial. Yo he sido así con todas» —replicaba él.

A Good Man

GUILTY OF MANY infidelities, not just once or twice but, according to some, for months and even years on end, Eusebio, the great womaniser, had not been a good husband. But now that both spouses were in their old age and his wife suffered from Alzheimer's, the neighbours felt guilty at having criticised him so mercilessly. You just had to look at him now to see the extent of his consideration and self-sacrifice in looking after his poor old wife Ignacia who was constantly soiling herself. Eusebio would clean her and wash her and cook and feed her and wipe away her drool. And so it went on until she died in his arms, well looked after and feeling loved although she was no longer conscious of it, poor thing. After the funeral the neighbours commiserated with Eusebio whilst adding how good he had been to her and so much praise was heaped upon him that he was overwhelmed by it.

"It was nothing special." He replied. "I was like that with all of them."

La ovación más grande

EL NOBEL de Literatura había logrado su sueño. Ahora, en el acto solemne de recogida del premio, iba a hablar. Ya no tendría que forzar agradecimientos dedicados a los poderosos, políticos, periodistas, profesores, críticos. Por fin podría decir la verdad, no esa otra que tanto agradaba a los que le habían aupado y que él había logrado expresar con retórica seductora. Gracias a eso había acumulado el prestigio suficiente como para que ahora el mundo oyera lo que deseaba decir. Su voz iba a ser por fin escuchada. Su voz verdadera. Mas, cuando quiso hablar, no fue capaz de sustraerse a tantos años de disimulo y comenzó a dar las gracias a unos y a otros y a ser tan bendita y políticamente correcto que alcanzó la ovación más grande que había recibido nunca.

THE GREATEST OVATION

THE WINNER of the Nobel Prize for Literature had attained his dream. Now he would speak his mind right there in the solemn act of collecting his award. He would no longer have to dignify the powers that be, the politicians, the journalists, the professors and the critics with crawling grateful speeches. At last he could tell the truth, not that other truth that was so pleasing to those who held him aloft and which he delivered with such seductive rhetoric. Thanks to that he had now gained enough credit for the world to hear what he really wanted to say. At long last his voice would be heard. His true voice. However, when he stepped up to the podium, he was unable to overcome all those years of circumspection and he began to thank all and sundry and to be so delightfully politically correct that he received the greatest ovation of his career.

Todavía otra vida

MI AMIGO había destruido los álbumes de fotos antiguas que había en su casa y me pidió que hiciera lo mismo. «Son los vivos los que mantienen la disciplina en el mundo de los muertos —me dijo—. Si tú no sabes que aquel joven era tu bisabuelo y aquella niña tu bisabuela, ellos por su cuenta y riesgo pueden hacer una elección diferente, pues todavía no se conocen. Quiero decir que tu bisabuelo puede casarse con otra señorita del álbum con lo que alguno de tus abuelos no nacería, ni por tanto nacería alguno de tus padres ni, como es lógico, nacerías tú. Y no te rías —añadió—. ¿Recuerdas a mi amiga Josefina? No me hizo caso y una tarde, mientras tomaba el té con ella se desvaneció en el aire. Allí estaba el álbum, al alcance de su mano».

STILL ANOTHER LIFE

MY FRIEND destroyed the old photo albums he kept at home and asked me to do the same:

"It is the living who keep order in the world of the dead." He told me. "If you didn't happen to know that this young man was your great-grandfather and that this little girl was your great-grandmother, they could of their own accord make a different choice, since they didn't know each other at that point. I mean your great-grandfather could marry another young lady in the photo album so that one of your grandparents would never be born, and therefore neither would one of your parents and, following that to its logical conclusion, neither would you. Don't laugh," he added. "Do you remember my friend Josefina? She didn't listen to me and one afternoon while we were having tea she vanished into thin air. And the photo album was right there, within reach of her hands."

EL ARMISTICIO

EL EMPERADOR XI CHI HUANG ordenó quemar todos los libros de historia.

Fueron sustituidos por relatos que decían de viva voz unos funcionarios obedientes. Y así la memoria de las gentes se llenó de sucesos que no habían sucedido o que no habían sucedido de esa manera, los héroes falsos sustituyeron a los verdaderos, los villanos se convirtieron en héroes, los tiranos en libertadores. Pasados unos años, aquellos sucesos verdaderos, que habían sido condenados a vagar por el éter del olvido, retornaron. El choque fue brutal y algunas mentiras murieron para siempre, otras huyeron en retirada, pero muchas todavía permanecen, porque, al cabo de algún tiempo de enfrentamientos, hubo que firmar un armisticio.

THE ARMISTICE

EMPEROR XI CHI HUANG ordered that all history books be burnt.

Instead, tales to be declaimed by a series of loyal civil servants replaced them. And so the people's memory was filled up with events that never took place, or at least not in the manner described. False heroes replaced true ones, villains became heroes and tyrants became liberators. After a few years those real events, which had been exiled to the ether of oblivion, returned. The battle was fierce. Many lies died forever, others escaped in retreat, but many still remain because, after a lengthy period of fighting, an armistice had to be signed.

Evitar la tentación

Se conocieron paseando a sus perros. Él llevaba una perrita Golden. Ella, un Fox Terrier. A diario una y otro se paraban, se olisqueaban, retozaban, correteaban. Cada uno de ellos, por su cuenta, decidió esterilizar a su animal. A la perrita se le estirparon los ovarios. Al Fox Terrier se le privó de los testículos. Al pasearlos de nuevo volvieron a pararse y a corretear y a retozar. Y algo ocurrió, nacido sin duda de aquella mutilación, que provocó un inesperado y singular estímulo en sus dueños. Él o tal vez ella, como el que no quiere la cosa, aludió a un apartamento que tenía cerca de allí, frente al Museo de Arte Moderno, y muchas mañanas, después del paseo, acababan desnudos bajo la mirada atenta de los perros.

AVOIDING TEMPTATION

THEY MET each other whilst walking their dogs. He had a golden retriever. She had a fox terrier. Every day the dogs would stop, smell each other, frolic a little and dash around. Both owners decided independently to spay their animals. The retriever had its ovaries removed. The fox terrier lost its testicles. When they were taken out for another walk they stopped again, dashed around and frolicked together. And something happened, no doubt born of that mutilation, which prompted an unexpected and unique attraction in their owners. He, or perhaps it was she, in an offhand kind of manner, made reference to a cosy nearby flat opposite the Modern Art Museum, and many mornings after their walk they ended up naked under the watchful gaze of the dogs.

Un presidente virtuoso

EL ACUSADO por el Santo Tribunal aceptó los cargos de tener mando sobre demonios para evitar la tortura y de paso demostrar lo absurdo de las acusaciones. Señalando al presidente del tribunal dijo: «Yo ahora ordeno a mis demonios que se lo lleven al Averno». Hubo un momento de pánico en la sala que puso una gran palidez en los rostros, pero nada sucedió. «¿Ve, Vuecencia? —argumentó con una media sonrisa—. Nadie viene. Los demonios no me obedecen». El presidente del tribunal, recuperado el color del rostro, afirmó con aplomo: «No es su maldad la que aquí prevalece, sino mi virtud».

A Virtuous President

Wanting to avoid torture and also demonstrate the absurdity of the Holy Tribunal's accusations, the man accepted the charge of having the power to command demons. Pointing at the President of the Tribunal, he cried:

"I now command my demons to carry him to Avernus."

A moment of panic befell the hall provoking quite a deathly pallor in many faces, but nothing happened.

"Does Your Excellency see?" He argued with a half smile. "Nothing is happening. Demons do not obey me."

The President of the Tribunal, now regaining his colour, affirmed with great aplomb:

"It is not your evil that prevails here but rather my virtue."

EL AZAR

¿**P**UEDE EL AZAR conseguir que un mono tecleando una máquina de escribir durante millones de años componga *El Quijote de la Mancha*? En eso pensaba el ornitólogo Artemio Alcántara cuando desde su mirador de Doñana observó que la bandada de gansos que surcaba el cielo camino del norte dibujaba claramente cinco letras que formaban la palabra VAMOS. Seis meses después, los gansos, de vuelta a Doñana, dibujaron en el cielo la palabra VENIMOS. ¿Podría ser que ese mismo mono tecleara además las palabras del *Hamlet*?

CHANCE

CAN CHANCE make a monkey write *Don Quixote* by tapping away at a keyboard for millions of years? Ornithologist Artemio Alcántara was musing on the topic from his hide in Doñana, while observing a gaggle of geese cruising north across the sky clearly outlining five letters that spelt the word GOING. Six months later the geese returning to Doñana wrote the word COMING in the sky. Could it be that the same monkey was tapping out the words of *Hamlet* as well?

¡Pobre Diablo!

Su vida había sido una acumulación de frustraciones. En el colegio había sido el hazmerreír de profesores y alumnos, en la mili sus mandos lo habían humillado, en la empresa sus superiores lo habían ninguneado sus iguales menospreciado y ahora, que ya estaba en el Infierno, el Diablo ni siquiera le consideraba digno de un buen castigo.

Poor Devil!

His life had been a sequence of frustrations. At school he had been the laughing stock of teachers and pupils alike; while performing military service his commanding officers had humiliated him; at the office his superiors had disregarded him and his colleagues scorned him. And now that he was finally in hell, the Devil didn't even consider him worthy of a proper torment.

Luis Mateo Díez

El tilo

Un hombre llamado Mortal vino a la aldea de Cimares y le dijo al primer niño que encontró: avisa al viejo más viejo de la aldea, dile que hay un forastero que necesita hablar urgentemente con él.

Corrió el niño a casa del Viejo Arcino que, como bien sabía todo el mundo en Cimares, tenía más edad que nadie.

Hay un forastero que le quiere hablar con mucha urgencia, dijo el niño al Viejo.

Las prisas del que las tiene suyas son, la edad que yo tengo me la gané viviendo con calma, si quiere esperar que espere.

El hombre daba vueltas alrededor de un tilo muy grande que había a la entrada del pueblo. Cuando volvió el niño y le dijo lo que había comentado el Viejo Arcino, estaba muy nervioso.

Es poco el tiempo que queda, musitó contrariado, una docena más de vueltas al árbol y termina el plazo.

El niño le miraba aturdido, el hombre le acarició la cabeza: lo que menos vale de la edad de un hombre es la infancia, dijo,

THE LINDEN

A MAN CALLED MORTAL visited the village of Cimares and said to the very first child he met:

Go and tell the oldest man in the village that a stranger urgently needs to speak to him.

The boy ran to the home of old Arcino who, as everybody in Cimares knew, was the oldest of them all.

There is a stranger who wants to speak to you straight away, said the boy to the old man.

If he's in a rush then on his head be it. I didn't get to this ripe old age without taking things easy. Let him wait if he will.

The man was pacing around a very tall linden tree that stood on the outskirts of the village. He became very agitated when the child returned and told him what old Arcino had said.

There is not much time left, he muttered in annoyance, I will pace around this tree a dozen more times and then that will be that.

The boy looked at him, rather confounded. The man gently stroked his head:

porque es lo que primero acaba. Luego viene la juventud, siguió diciendo mientras volvía a dar vueltas, y nada hay más vano que las ilusiones que en ella se fraguan. El hombre maduro empieza a sospechar que al hacerse más sabio, más se acerca a la muerte, entendiendo que la muerte sabe más que nadie y siempre sale ganando.

De la vejez nada puedo decir que no se sepa. El Viejo Arcino llegó cuando el hombre estaba a punto de dar la docena de vueltas.

¿Se puede saber lo que usted desea, y cuál es la razón de tanta prisa?..., le requirió.

Soy Mortal, dijo el hombre, apoyándose exhausto en el tronco del tilo. Todos lo somos, dijo el Viejo Arcino. Mortal no es un nombre, mortal es una condición.

¿Y aun así, aunque de una condición se trate, sería usted capaz de abrazarme?..., inquirió el hombre.

Prefiero besar a este niño que darle un abrazo a un forastero, pero si de esa manera queda tranquilo, no me negaré. No es raro que llamándose de ese modo ande por el mundo como alma en pena.

Se abrazaron bajo el tilo. Mortal de muerte y mortandad, musitó el hombre al oído del Viejo Arcino. El que no lo entiende de esta manera lleva las de perder. La encomienda que traigo no es otra que la que mi nombre indica. No hay más plazo, la edad está reñida con la eternidad.

¿Tanta prisa tenías?..., inquirió el Viejo, sintiendo que la vida se le iba por los brazos y las manos, de modo que el hombre apenas podía ya sujetarlo.

No te quejes, que son pocos los que viven tanto.

No me quejo de que hayas venido a por mí, me conduelo

60

Childhood is the least valuable of all the ages, he said, because it is the first one to end. Then comes youth, he went on as he walked round the tree, and there is nothing more vain than the dreams forged within it. In maturity a man begins to suspect that whilst growing wiser he is also approaching death and realises that death knows more than anybody else and always ends up winning. I can't say anything about old age that isn't already known.

Old Arcino arrived just as the man was on his last orbit around the tree:

What do you want and why such a hurry? He enquired of him.

I am Mortal, the man said leaning exhausted on the trunk of the linden tree.

We all are, said old Arcino. Mortal is not a name but a fact of life.

Even so, even if it were a fact of life, would you be willing to hug me? Asked the man.

I'd prefer to kiss this child than hug a stranger but if it will make you happy I won't refuse. It's hardly surprising that, with a name like that, you wander the world like a lost soul.

They embraced under the linden tree.

Mortal, fatal and deadly, the man whispered in old Arcino's ear. Whoever doesn't understand that is doomed to failure. The message I bring is none other than my name. There is no more time left. Age is pitted against eternity.

All that rush for this? Asked the old man, feeling how his life was pouring from his arms and hands. And such was the flow that the man could hardly hold him up any longer.

Don't complain. Few live as long.

del engaño con que lo hiciste, y de ver correr asustado a ese
pobre niño.

I am not complaining about your coming for me. I am saddened by the deceit that brought you here and the sight of that poor child running away in fear.

El chopo

Dicen que en Carva fue un viajero, en Villamida un vagabundo y en Antil un mendigo. Más o menos en los tres sitios sucedió lo mismo y hasta podría pensarse que el viajero, el vagabundo y el mendigo se parecían más de la cuenta.

La verdad es que si se piensa un momento es fácil sacar la conclusión de que un viajero muy bien puede con el tiempo hacerse vagabundo y acabar de mendigo. Es como un destino más o menos absurdo o degradado, pero en los tres casos se va por la vida, se anda por el mundo y, al fin, se requiere la subsistencia de puerta en puerta.

Nadie recuerda cómo se llamaban, casi ni siquiera cómo eran. El que va y viene pierde la identidad en el camino o, mejor, sólo en él la alcanza.

Un viajero trae la maleta como contraseña. Dicen que bajó del coche de línea y llamó en la primera casa de Carva. Le abrió una chica joven que se llamaba Cericia y estaba recién casada. Al día siguiente se fue el marido de Cericia y, cuando en el pueblo se percataron, el viajero se había convertido en el hombre de aquella casa. Eso duró unos meses. Volvió el marido, se fue el viajero.

THE POPLAR

PEOPLE SAY that he was a traveller in Carva, a vagrant in Villamida and a beggar in Antil. More or less the same thing happened in all three places and one could be forgiven for thinking that the traveller, the vagrant and the beggar looked a little too much alike. The truth is that if one stops to think about it for a minute, it's easy to come to the conclusion that in time a traveller may very well turn into a vagrant and end up as a beggar. It is a more or less absurd or degraded kind of fate, but in all three cases he goes through life, wandering from here to there, and in the end he's obliged to eke out a living door to door. Nobody remembers his name or even his face. He who comes and goes loses his identity on the road —or rather it's only on the road that he finds it.

A traveller carries a suitcase as an emblem. They say that he stepped off the coach and knocked on the very first door in Carva. A young girl called Cericia opened the door. She was newly wed. The following day Cericia's husband went away and before the village knew it the traveller had turned

Un vagabundo trae las manos en los bolsillos y una colilla en los labios. Llamó a la puerta de la última casa de Villamida. Le abrió una niña vestida de luto. La niña vivía

con su madre, que era una viuda joven que se llamaba Amarila. Sustituyó al marido muerto y por unos meses hizo de padre de aquella niña triste. El día que se fue lloraban la madre y la hija.

Un mendigo trae a la espalda el zurrón con los cuatro mendrugos de las limosnas. Se sentó en el poyo a la entrada de una alquería de Antil, y cuando la hija mayor de

la casa, que se llamaba Oreda, le dijo que pasara si quería calentarse, dejó el zurrón y obedeció. Los padres de Oreda aceptaron al mendigo como si fuera su yerno y las hermanas lo consideraron su cuñado. Cuando murieron los padres y se casaron las hermanas, Oreda y el mendigo quedaron solos y dueños de la alquería. Para entonces ya tenían tres hijos. El mendigo desapareció una mañana de abril, cuando los hijos ya estaban criados.

En los tres casos, el viajero, el vagabundo y el mendigo hicieron lo mismo todos los días después de comer. Salían de casa, se acercaban al chopo más cercano, se sentaban apoyando la espalda en el tronco, fumaban un cigarro y suspiraban satisfechos.

into the man of the house. That lasted a few months. The husband returned, the traveller left.

A vagrant carries his hands in his pockets and a cigarette butt perched on his lips. He knocked on the door of the last house in Villamida. A girl dressed in mourning opened the door. The girl lived with her mother, a young widow called Amarila. For a few months he took the place of the dead husband and became a father to that sad little girl. The day he left both mother and daughter wept.

A beggar shoulders a sack carrying the few crusts tossed to him in charity. He sat on a post by the entrance to a farmhouse in Antil and when the eldest daughter of the house, called Oreda, told him to come in from the cold, he dropped his bag and obeyed. Oreda's parents took the beggar in as if he were their son-in-law and her sisters treated him like their brother-in-law. When her parents died and her sisters married, Oreda and the beggar were left sole owners of the farmhouse. By then they already had three children. The beggar vanished one morning in April when the children were all grown up.

In all three instances, the traveller, the vagrant and the beggar acted out a daily routine after lunch. They left the house, found the nearest poplar, sat with their back leaning against the trunk, smoked a cigarette and gave a sigh of contentment.

Un suceso

ME DESPERTÉ CON SED. Lola dormía. Me levanté con cuidado, sin dar la luz, salí de la habitación, avancé a oscuras por el pasillo. Entonces tropecé con alguien. Unos pasos apresurados se perdieron hacia la cocina y la puerta se cerró tras ellos.

Tardé un momento en reaccionar. Seguí por el pasillo hasta alcanzar el interruptor de la luz y luego, decidido, abrí de golpe la puerta de la cocina.

El hombre se había subido en el alféizar de la ventana abierta.

—No, por Dios —dijo—, no avise a la policía.

En su rostro el terror allanaba el gesto de su mirada enferma.

—Ángel —musité, como si de pronto mi memoria sufriera una sacudida.

—Martín —respondió con incredulidad instantes después.

Lola llamaba excitada desde el pasillo.

Cuando llegó a la cocina vio abrazados a aquellos dos amigos de la infancia, y su irrevocable decisión de llamar a la poli-

A Crime Report

I WOKE UP THIRSTY. Lola was asleep. I got up carefully without turning on the light. I went out of the bedroom and walked down the corridor in the darkness. Then I stumbled into someone. A few hurried footsteps scuttled away towards the kitchen and the door closed behind them.

It took me a while to react. I carried on down the corridor until I reached the light switch and then, decisively, I flung open the kitchen door.

The man had clambered on to the sill of the open window:

"Please don't…. for God's sake…don't call the police." He said.

His sick semblance was overshadowed by an expression of terror.

"Angel," I whispered as if my memory had been jolted by a sudden shock.

"Martin." He answered with incredulity moments later.

Lola, highly agitated, was calling out from the corridor.

cía fue lo que motivó el inicio de la definitiva crisis de nuestro matrimonio.

When she reached the kitchen she saw two childhood friends locked in an embrace and her irrevocable decision to call the police was the beginning of the end of our marriage.

EL SICARIO

Los datos estaban cambiados y maté a un hombre que no era el previsto. Estos trabajos tan rápidos, tan secretos, con frecuencia te llevan a cometer errores irremediables.

Recuerdo una lejana ocasión en que el error se repitió tres veces. Todas las víctimas me miraron con sorpresa y sólo la verdadera lo hizo con aplomo.

—Te esperaba —musitó cuando le clavé el puñal.

Como siempre, cuando concluyo un trabajo, fui a emborracharme y días después, repuesto de la resaca, regresé a casa y encontré una carta remitida la misma fecha de la muerte.

—Te perdono por lo que vas a hacer —decía—, pero te maldigo por lo mal que lo has hecho. Un muerto que cuesta tres muertes no es un muerto inocente. Además de matarme me has hecho sentir culpable y profundamente desgraciado.

THE HIT MAN

THE INFORMATION was incorrect and I killed the wrong man. These jobs are so quick, so secretive, that they frequently lead you to commit irreparable errors.

I remember a distant incident in which the error repeated itself three times. All the victims looked at me with surprise and only the real one did so with aplomb.

"I was waiting for you," he muttered as I stuck the knife in him.

As usual when I finish a job I went on a drinking spree and returning home days later, when I'd recovered from the hangover, I found a letter posted on the same day of the killing.

'I forgive you for what you're about to do,' it said. 'But I curse you for how badly you've done it. A death that costs another three is not an innocent one. As well as killing me you've made me feel guilty and profoundly wretched.'

Amores

Cuando Amparo me dijo que no me quería, después de seis meses de tenaz noviazgo, me recluí en casa de mi tía Eredia por espacio de tres meses. El amor de Luisina un año más tarde vino a curar aquella herida que seguía sin cerrarse. Fue un tiempo corto, eso sí, de felicidad e ilusiones. Entender la decisión de Luisina de abandonar el mundo para profesar en las Esclavas me costó una úlcera de duodeno. A mi natural melancolía se unió esa tristeza sin fondo que ni los auxilios espirituales logran paliar.

Irene llegó a mi vida en un baile de verano al que mi amigo Aurelio me llevó como quien dice a punta de pistola.

Que dos años más tarde aquella tierna seductora se fuese precisamente con Aurelio, yugulando a un tiempo amor y amistad, fue lo que provocó, en el abismo de la desgracia sentimental, mi hospitalización. Antonia era una enfermera compadecida que me sacó a flote usando todos los atributos que una mujer puede poseer. El amor del enfermo es un amor sudoroso y lleno de pesares, más frágil que ninguno. Cuando una tarde vi a Antonia y al doctor Simarro besándose en el jardín me

LOVE LIFE

WHEN AMPARO told me that she didn't love me any more, after six months of tenacious dating, I secluded myself at my Aunt Eredia's home for a three-month period. The love of Luisina arrived a year later to cure that wound that wouldn't heal. True, it didn't last very long, but it was a time of happiness and high hopes. It cost me an ulcer to finally understand Luisina's decision to abandon the material world for a life in a convent. My natural melancholy was then joined by a profound sadness that no spiritual succour could placate.

Irene arrived in my life during a summer dance to which my friend Aurelio dragged me as if at gunpoint. Two years later that gentle seductress left me for Aurelio himself, toying at once with love and friendship. I wound up in hospital, deep in the abyss of my lovelorn despair.

Antonia was a caring nurse who pulled me from the edge using all the wiles that a woman has at her disposal. The love of a sick man is sweaty and anxious, the most fragile of all kinds. One afternoon, when I saw Antonia and Dr. Simarro kissing in the garden, I wolfed down a whole packet of pain-

metí para el cuerpo un tubo de aspirinas. Gracias como siempre a mi tía Eredia, culminé tras la crisis la desolada convalecencia y, cuando definitivamente me sentí repuesto, comencé a considerar la posibilidad de retirarme del mundo, habida cuenta de que mis convicciones religiosas se habían fortalecido.

Fue entonces cuando me escribió Amparo reclamando mi perdón y reconociendo la interpretación errónea que había hecho de su amor por mí. Nos casamos en seguida y todo iba bien hasta que Luisina, que colgó los hábitos, volvió para recuperar mi amore Irene y Antonia, bastante desgraciadas en sus respectivos derroteros sentimentales, regresaron para restablecer aquella fidelidad herida convencidas, cada una por razones distintas, de que el único amor verdadero era el mío.

Mi tía Eredia anda la mujer muy preocupada y yo, como dice mi amigo Gonzalo, sobrellevo con astucia y aplomo desconocidos mi destino, trabajando en tantos frentes a la vez. Y me voy convenciendo de que existe una rara justicia amorosa que nos hace cobrar los abandonos, aunque su aplicación puede acabar resultando perjudicial para la salud.

killers. Thanks again to my Aunt Eredia I recovered from the crisis and started a desolate convalescence. When I felt fully fit again I began to mull over the possibility of retiring from the world, taking into account that my religious convictions had emerged fortified.

It was at that time that Amparo wrote to me begging my forgiveness and recognising she had underestimated her love for me. We were married straightaway and everything was going well until Luisina, who had hung up her habit, returned to reclaim my love. Then Irene and Antonia, badly burned in their respective sentimental liaisons, also came back to re-establish that wounded loyalty, each one convinced, for different reasons, that I was their only true love.

My Aunt Eredia is a very worried lady these days. But, as my friend Gonzalo says, I endure my fate with unsurpassed courage and shrewdness, working on various fronts simultaneously. By now I am convinced that there is a rare justice in love which makes us pay for every rejection even though its application may end up being detrimental to good health.

En el mar

EL MAR ESTABA quieto en la noche que envolvía la luna con su resplandor helado. Desde cubierta lo veía extenderse como una infinita pradera.

Todos habían muerto y a todos los había ido arrojando por la borda, siguiendo las instrucciones del capitán.

—Los que vayáis quedando —había dicho— deshaceros inmediatamente de los cadáveres. Hay que evitar el contagio, aunque ya debe ser demasiado tarde…

Yo era un grumete en un barco a la deriva y en esas noches quietas aprendí a tocar la armónica y me hice un hombre.

IN THE SEA

THERE WAS stillness in the sea and the night enveloped the moon with its frozen glow. I watched it from the deck stretching away like an infinite prairie.

Everyone was dead and following the Captain's orders I was tipping them overboard.

"It's up to anyone still alive", he said, "to get rid of the bodies at once. We have to avoid contagion although it could already be too late..."

I was a cabin boy on a drifting boat and on those still nights I learned to play the harmonica and became a man.

El ABRIGO

El DÍA QUE LLEGUÉ a la oficina, un martes de noviembre de mil novecientos cincuenta y seis y, al colgar el abrigo en el perchero, su cuello quedó desprendido del resto como si, al fin, la polilla hubiese facilitado su definitiva decapitación, el dolor me hizo reconocer que las prendas familiares siempre mueren en el corazón de los humildes.

Tres generaciones yacían suspendidas en el perchero asesino y el calor de las mismas se fue desvaneciendo en el paño hasta enfriar mis manos y dejar en el tacto un maltrecho estertor de inviernos y orfandades.

THE OVERCOAT

ONE TUESDAY in November 1956 I arrived at the office and on hanging my coat on the hanger, the collar tore from the rest of it as if moths had at last consummated its final decapitation. The pain made me understand that family hand-me-downs always die in the hearts of the humble. Three generations were hanging from that murderous hook and their warmth dissipated through the fabric until it froze my hands leaving a wounded shiver of orphaned winters.

Un crimen

Bajo la luz del flexo la mosca se quedó quieta.

Alargué con cuidado el dedo índice de la mano derecha.

Poco antes de aplastarla se oyó un grito, después el golpe del cuerpo que caía.

En seguida llamaron a la puerta de mi habitación.

—La he matado —dijo mi vecino.

—Yo también —musité para mí sin comprenderle.

A CRIME

THE FLY sat under the light of the lamp.

I slowly reached out with my right index finger. Just before I squashed it I heard a scream, then the thud of a falling body.

A little later someone knocked on the door of my room.

"I killed her." Said my neighbour.

"Me too," I muttered to myself without understanding.

Realismo

MI DISERTACIÓN sobre el realismo aburrió a las piedras. Aquellos universitarios no tenían el mínimo interés en escucharme y el profesor que me invitó a la Facultad tampoco estaba demasiado atento.

Un mal día lo tiene cualquiera y muchos malos también. Más solo que la una, cuando aquello concluyó, me fui al bar y entre el bullicio estudiantil y el lastrado aroma de comedor barato que recordaba de mis tiempos juveniles, me metí tres whiskys seguidos para el cuerpo.

El estómago vacío me hizo una de las muchas malas pasadas a que acostumbra. Busqué el retrete y me encerré en él para aliviar mi desgracia. Media hora larga para reponerme.

Entre las obscenas e insidiosas inscripciones grabadas en la puerta, una me sorprendió vivamente: «Sé realista, llámame», un número de teléfono y un nombre femenino. Había superado el mareo pero no el malestar y en ocasiones así recurro a un cuarto whisky que generalmente logra sedimentarme. Del malestar pasé a la euforia y al sexto whisky ya estaba cogido al teléfono, marcando el dichoso número y mencionando el nombre en cuestión.

REALISM

MY DISSERTATION on realism could bore anyone to death. Those college students had no interest whatsoever in listening to me, and the professor who invited me to the faculty wasn't particularly alert either.

Anyone can have a bad day or indeed many bad ones. Left on my own at the end of that ordeal, I went to the bar and immersed myself in the student bustle and the lingering aroma of the cheap café that reminded me of my youth. I downed three whiskies in quick succession.

My empty stomach churned uneasily as usual. I searched for a toilet and I locked myself inside to relieve my misery. It took me a long half hour to recover.

Amongst the many obscene and insidious messages engraved on the door, one surprised me deeply: 'Be realistic. Call me,' with a telephone number and a female name. I had overcome the dizziness but not the nausea and on occasions like this I resort to a fourth shot of whisky which generally settles me. My nausea turned into euphoria and by the sixth whisky I had already picked up the phone, dial-

—Soy realista —dije, cuando la voz femenina certificó que era ella, y en seguida me dio la dirección y me dijo que me aguardaba.

Un grado medio de borrachera suelo disimularlo bien y, además, me hace muy ocurrente y cariñoso.

Mis disertaciones sobre el realismo siempre resultan decepcionantes y jamás, en ningún sitio, me han llamado dos veces para dar una conferencia. Pero son variadas las circunstancias fortuitas, nunca académicas, que me ayudan a mantener firmes mis convicciones.

led the wretched number and mentioned the name in question.

"I am realistic," I said when a female voice vouched that she was the one. She then gave me her address and said she would be expecting me.

I can usually hold a drink or two. If anything it makes me witty and affectionate. My dissertations on realism always tend to disappoint and I have never been called back for a second lecture. But it is the various other chance events, never academic in nature, that help keep me firm in my convictions.

EL SUEÑO

Soñé que un niño me comía. Desperté sobresaltado.

Mi madre me estaba lamiendo. El rabo todavía me tembló durante un rato.

THE DREAM

I DREAMT A CHILD was eating me. I woke up in distress. My mother was licking me. My tail went on trembling for a little while longer.

Sopa

Durante seis años estuve comiendo en el mismo restaurante. Uno de esos establecimientos económicos donde la perseverancia sólo es recompensada por la comodidad de no tener que andar decidiendo cada día dónde cumple uno ese trámite imprescindible. Hay estómagos que no buscan especiales compensaciones y el mío es uno de ellos.

Durante esos seis años comí todos los días de primer plato una sopa de la casa, amarillenta y confusa, en la que navegaban desconfiados algunos fideos.

El día que cerró aquel establecimiento, en el que yo con otra media docena de habituales festejé la melancólica despedida sorbiendo la última sopa, comiendo el último bistec y agradeciendo el brindis lloroso del dueño con un champán de ínfima marca, una extraña pena dominó mi ánimo.

Nunca había sentido en mis solitarias colaciones ninguna solidaridad con los otros habituales del Cifuentes, ni con su dueño, ni con los camareros, ni con Rosina, la cocinera, a quien vi por primera vez el día del cierre sosteniendo trémula su copa de burbujas.

Soup

SIX LONG YEARS I ate at the same restaurant. It was one of those cheap dives where perseverance is only rewarded by the comfort of not having to decide where else to fulfil that necessary function. Some stomachs don't look for any particular luxury and mine is one such stomach. For those six years, every day I ordered the same house soup as a starter, yellow and murky, a few apprehensive noodles navigating their way around it.

The day that place closed down a strange sadness came over me as I and another half-dozen regulars celebrated the melancholic farewell by sipping the last soup, eating the last steak and joining the tearful owner in a toast with cheap champagne.

Throughout my solitary collations I had never felt the slightest camaraderie with the other regulars of the Cifuentes, nor with its owner, nor with the waiters, nor with Rosina the cook whom I saw for the very first time on that last day, holding a trembling glass of bubbly.

The following two years were devastating for my stomach and my emotional balance, for I discovered that there was an odd correlation between the two.

Los dos años siguientes fueron devastadores para mi estómago y para mi equilibrio emocional, pues comprobé que entre uno y otro había una extraña correspondencia.

Deambulé por los más variados restaurantes buscando un alivio o una recompensa que no lograba determinar.

Mi vida iba a la deriva y el recuerdo de la sopa del Cifuentes era algo que me afectaba como una frustración que llegó a invadir mis sueños.

Hasta que un día en una lejana casa de comidas del extrarradio, cuando ya me habían expulsado de la empresa y llevaba una existencia depauperada y enferma, reencontré la vieja sopa, amarillenta y confusa.

Rosina es hoy mi mujer y yo he vuelto a recuperar el equilibrio y el aprecio de mi modesta condición.

I drifted through various restaurants seeking a relief or a reward that I could never quite grasp. My life was spiralling out of control and the memory of the Cifuentes soup affected me like a frustration which even carved itself into my dreams.

Until one fine day I rediscovered that old yellow and murky soup at a distant eatery in the suburbs. By that time I had been fired from work and was leading a poverty stricken and unhealthy life.

Rosina is my wife now and, for myself, I have regained my balance and an appreciation of my modest needs.

UN SENDERO FURTIVO

Le veíamos entrar en el Bar Central a las seis de la tarde y en la sumergida quietud de los divanes y las mesas de mármol se iba diluyendo como una sombra más.

Algunas veces se percataba de que le estábamos mirando tras el ventanal: seis ojos de niños traviesos que se demoran en el camino de regreso a casa, pero no parecía importarle aquella vigilancia impertinente y caprichosa.

Escribía en cuartillas con una estilográfica muy grande y fumaba sin parar.

Murió al final de aquel invierno, poco después de que hubiéramos decidido dejar de espiarle para ir directamente a los billares de Castro donde, al fin, nos permitían colarnos.

Su última novela, que apareció al cabo de un año, se titulaba El sendero furtivo. La leí mucho tiempo después y debo reconocer que me gustó.

En el último capítulo el protagonista, un hombre de vida sentimental muy atormentada, aguarda en un bar a la mujer con la que tras muchas dudas ha decidido reconciliarse.

De pronto observa tras el ventanal el rostro de tres niños

The Unseen Path

WE WOULD WATCH him go into the Central Café at six in the afternoon. and in the submerged stillness of the couches and the marble tables he diluted himself into the shadows. Sometimes he would notice that we were watching him through the windows, six mischievous childish eyes pausing on their way home, but that impertinent and capricious surveillance didn't seem to bother him. He wrote on loose plain sheets with a large fountain pen whilst chain-smoking.

He died at the end of that winter shortly after we had decided to stop spying on him and instead go straight to Castro's pool hall where, at last, they were letting us sneak in.

His last novel, published the following year, was called The Unseen Path. I read it many years later and I must confess that I enjoyed it.

In the final chapter, the protagonist, a man with a stormy love life, is waiting in a café for the women whom he has decided to reconcile with, after much soul-searching. All of a sudden he notices through the window the faces of three children wearing mocking expressions, and he begins

que le miran burlones y comienza a sentir una gran zozobra. Se levanta, cruza apresuradamente el local y sale huyendo.

La novela termina describiendo la congoja de esa huida absurda.

De nada me he sentido tan culpable en mi vida como de ese desgraciado final.

to feel a great anxiety. He stands, hurriedly crosses the café and flees.

The novel concludes by describing his anguish at that absurd escape.

I have never felt so guilty about anything in my whole life than that forlorn ending.

La carta

TODAS LAS MAÑANAS llego a la oficina, me siento, enciendo la lámpara, abro el portafolio y, antes de comenzar la tarea diaria, escribo una línea en la larga carta donde, desde hace catorce años, explico minuciosamente las razones de mi suicidio.

The Letter

EVERY MORNING I arrive at the office, I sit down, I switch on the lamp, I open my briefcase and before beginning the day's work, I write another line in the long letter in which, for the last fourteen years, I have been detailing the reasons for my suicide.

AMANTES

No PUDE CREERLO hasta que les descubrí. Muchos me lo habían advertido.

En aquel momento ella, asustada, dejó de maullar pero él, que no se daba cuenta de que los estaba mirando, todavía siguió ladrando un rato.

LOVERS

I COULDN'T BELIEVE it until I caught them red-handed. Many had tried to warn me beforehand.

She was startled and stopped mewling but he, who hadn't realised I was watching them, went on barking for a little longer.

El pozo

MI HERMANO ALBERTO Mi hermano Alberto cayó al pozo cuando tenía cinco años. Fue una de esas tragedias familiares que sólo alivian el tiempo y la circunstancia de la familia numerosa.

Veinte años después mi hermano Eloy sacaba agua un día de aquel pozo al que nadie jamás había vuelto a asomarse.

En el caldero descubrió una pequeña botella con un papel en el interior.

«Éste es un mundo como otro cualquiera», decía el mensaje.

The Well

My brother Alberto fell into a well when he was only five years old.

It was one of those familial tragedies that only time and the comfort of a large family can alleviate. Since then no one had ever gone near there. But twenty years later my brother Eloy was drawing water from the well and in the bucket he found a small bottle with a paper inside it:

'This is a world like any other,' read the message.

José María Merino

DESPUÉS DEL ACCIDENTE

No SIENTES el silencio de la noche porque dentro de ti conti- núan vibrando todos los sonidos del accidente, el chirrido del frenazo, el golpe contra la barrera, el retumbar del vehículo al despeñarse. Y escuchas el murmullo de la radio, una voz inin- teligible, mientras la luz cada vez más débil de los faros hace brillar la escarcha en los matorrales. Hay también otros brillos y, desde el lugar que ocupa tu cuerpo, caído fuera del coche, com- prendes de repente que son los reflejos de esa iluminación esca- sa en unos ojos. «¡Laura!», exclamas aterrorizado, incorporán- dote. Entonces los ves. Sobre sus uniformes reluce la fosfores- cencia de unos cascos que parecen enormes y extraños en la negrura. «No te preocupes por ella», dice el más alto, con voz serena, «eres tú quien debe venir con nosotros. Ella está viva.»

After the Accident

You cannot sense the silence of the night as all the sounds of the accident are still vibrating within you: the scream of the brakes, the thud against the barrier and the crunching of the car as it barrelled over. And you listen to a murmur on the radio, an indistinct voice, while the dimming headlights make the dew on the undergrowth glisten. From where your body has landed you are aware of other glimmers and you realise they are the reflections of that meagre light in a pair of eyes.

"Laura." You call in horror, standing up. Then you see them. Over their uniforms gleams the phosphorescence of helmets that seem huge and strange in the thick blackness.

"Don't worry about her," says the tallest one in a calm tone. "You're the one who must come with us. She's alive."

LA MEMORIA CONFUSA

UN VIAJERO tuvo un accidente en un país extranjero. Perdió todo su equipaje, con los documentos que podían identificarlo, y olvidó quién era. Vivió allí varios años. Una noche soñó con una ciudad y creyó recordar un número de teléfono. Al despertar, consiguió comunicarse con una mujer que se mostró asombrada, pero al cabo muy dichosa por recuperarlo. Se marchó a la ciudad y vivió con la mujer, y tuvieron hijos y nietos. Pero esta noche, tras un largo desvelo, ha recordado su verdadera ciudad y su verdadera familia, y permanece inmóvil, escuchando la respiración de la mujer que duerme a su lado.

Confused Memories

A TRAVELLER had an accident in a foreign land. He lost all of his luggage along with any documents that could identify him and he forgot who he was. He lived there for a few years. One night he dreamt of a city and he thought he remembered a telephone number. When he woke up he managed to contact a woman who seemed astonished but delighted to recover him. He went to the city and lived with the woman and they had children and grandchildren. But tonight, lying awake all night, he has remembered his true city, his real family, and he lies motionless listening to the breathing of the woman sleeping beside him.

EL ECOSISTEMA

EL DÍA DE MI CUMPLEAÑOS, mi sobrina me regaló un bonsai y un libro de instrucciones para cuidarlo. Coloqué el bonsai en la galería, con los demás tiestos, y conseguí que floreciese. En otoño habían surgido de entre la tierra unos diminutos insectos blancos, pero no parecía que perjudicasen al bonsai. En primavera, una mañana, a la hora de regar, vislumbré algo que revoloteaba entre las hojitas. Con paciencia y una lupa, acabé descubriendo que se trataba de un pájaro minúsculo. En poco tiempo el bonsai se llenó de pájaros, que se alimentaban de los insectos. A finales del verano, escondida entre las raíces del bonsai, encontré una mujercita desnuda. Espiándola con sigilo, supe que comía los huevos de los nidos. Ahora vivo con ella, y hemos ideado el modo de cazar a los pájaros. Al parecer, nadie en casa sabe donde estoy. Mi sobrina, muy triste por mi ausencia, cuida mis plantas como un homenaje al desaparecido. En uno de los otros tiestos, a lo lejos, hoy me ha parecido ver la figura de un mamut.

Eco-system

On my birthday my niece bought me a bonsai tree and an instruction manual for looking after it. I placed the bonsai in my greenhouse, alongside other flowerpots, and I managed to get it to flower. In the autumn some minute white insects had emerged from the earth but they didn't seem to be harming the bonsai. One morning in the spring, when I went to water it, I glimpsed something fluttering amongst the tiny leaves. With patience and armed with a magnifying glass I discovered that it was a minuscule bird. Shortly thereafter, the bonsai was filled with birds feeding on the insects. Towards the end of the summer, hidden amongst the roots of the bonsai, I found a tiny naked lady. Spying on her cautiously, I knew she was eating the eggs from the nests. Now I live with her and we've come up with a way of hunting the birds. It seems no one at home knows where I am. My niece, very upset by my disappearance, looks after my plants in homage to my vanishing. In one of the other flowerpots, in the distance, today I think I saw the silhouette of a mammoth.

TERAPIA

—UN PEQUEÑO HUERTO, cavar la tierra, abonarla, plantar, regar, recoger la cosecha. Esos ejercicios serían también muy beneficiosos para usted —le aconsejó el doctor mientras le entregaba el tratamiento contra el estrés. El primer año comió unos tomates deliciosos. El segundo año se pasaba las jornadas de la bolsa recordando sus tareas dominicales, las plantas de fresas, los calabacines en flor, las lombardas, según la estación. Pero un domingo de abril se quedó quieto, y luego se sentó entre los surcos. El lunes ya había arraigado. Produce pimientos en el brazo izquierdo y berenjenas en el derecho. No necesita mucho riego.

THERAPY

"A SMALL VEGETABLE garden, tilling the earth, fertilising it, planting, watering and collecting the harvest. All these exercises would be very good for you." Advised the doctor while he handed him his treatment for stress.

The first year he ate some delicious tomatoes. The second year he spent his days at the stock exchange thinking about his tasks for the weekend: the strawberry plants, the flowering courgettes and the red cabbages, depending on the season. But one Sunday in April he stood motionless and then sat between the furrows. By Monday he had already taken root. He produces peppers on his left arm and aubergines on his right. He doesn't need much watering.

— ontology?
— magical realism?

Un regreso

Aquel viajero regresó a su ciudad natal, veinte años después de haberla dejado, y descubrió con disgusto mucho descuido en las calles y ruina en los edificios. Pero lo que le desconcertó hasta hacerle sentir una intuición temerosa, fue que habían desaparecido los antiguos monumentos que la caracterizaban. No dijo nada hasta que todos estuvieron reunidos a su alrededor, en el almuerzo de bienvenida. A los postres, el viajero preguntó qué había sucedido con la Catedral, con la Colegiata, con el Convento. Entonces todos guardaron silencio y le miraron con el gesto de quienes no comprenden. Y él supo que no había regresado a su ciudad, que ya nunca podría regresar.

A Return

A TRAVELLER RETURNED to his hometown, twenty years after his departure, and was upset to find so many signs of negligence and so many dilapidated buildings on the streets. But what confused him the most, until it became a fearful sense of foreboding, was that all the old monuments that gave the city so much character had gone. He didn't say a word until everybody had gathered round him in a welcome-home meal. Over dessert the traveller asked what had happened to the cathedral, the collegiate church and the monastery. They all remained silent and looked at him with confused expressions as if not really understanding. And he knew then that he hadn't returned to his city, and that he would never be able to return.

EL AGENTE SECRETO

PRIMERO FUE UN RUMOR ronco e ininteligible, en llamadas de teléfono que se repetían una y otra vez. Luego, unos signos indescifrables e insistentes en la pantalla del ordenador, que aparecían siempre que lo ponía en marcha. Un día, el mensaje se fue haciendo comprensible y pude leer, en un texto sin fin: *debes regresar, tu misión ha terminado.* Ahora sé que me esperan. Están ahí fuera, al acecho, para llevarme con ellos. Pero yo he olvidado de qué misión me hablan. Yo quiero seguir aquí, entre los humanos, con mi familia mortal.

THE SECRET AGENT

FIRST IT WAS A MUTED incomprehensible murmur heard over the phone, echoing over and over. Then some indecipherable and insistent symbols appeared on the computer screen, always while it was starting up. One day the message became legible and I was able to read in a never-ending loop:

You must return. Your mission is terminated.

Now I know they are expecting me. They are out there, lurking, waiting to take me with them. But I've forgotten what mission they are talking about. I want to stay here, amongst the humans, with my mortal family.

EL DESPISTADO (UNO)

EL AVIÓN ha aterrizado, han parado los motores, ya se apagó la señal que obligaba a usar el cinturón. Sin embargo, nadie se levanta. No comprendo cómo los demás no tienen ganas de abandonar este sitio después de haber experimentado el horroroso vuelo, los ruidos extraños, la explosión, el humo espeso, el terrible zarandeo. Me levanto yo, abro el maletero, saco mi cartera, mi abrigo. Acabo de descubrir que todos me están mirando. De repente me señalan y se echan a reír con una carcajada extraña, una carcajada que parece llena de dolor, y aquí estoy yo con la cartera en una mano y el abrigo en la otra, sin enterarme de lo que sucede.

ABSENT-MINDED (ONE)

THE PLANE has landed. The engines have been switched off. The warning light instructing you to keep your seat belt fastened has been turned off. However, no-one is getting up. I can't understand how everyone else isn't desperate to get out of this place having suffered the worst flight ever: the strange creaking, the explosion, the thick smoke, the awful thrashing about. I decide to stand up, open the overhead locker and take out my briefcase and coat. Now I have just realised that everyone is looking at me. Suddenly they point at me and start laughing in a strange way, a laughter that seems full of pain and I'm standing here with my briefcase in one hand and my coat in the other, without the foggiest clue as to what's going on.

MOSCA

LA MOSCA revolotea sin demasiada vitalidad en el cuarto de baño. La miro con asco. ¿Qué hace este bicho en un hotel de lujo, y además en febrero? La golpeo con una toalla y cae exánime sobre el mármol del lavabo. Es una mosca rara, arrubiada, no muy grande. Se me ocurre que es el último ejemplar de una especie que desaparecerá con ella. Se me ocurre que tenía en el cuarto de baño su refugio invernal. Que en el jardín que se extiende bajo mi ventana hay alguna planta también muy rara, que solo podía ser polinizada por esta mosca. Y que de la polinización y multiplicación de esa planta va a depender, dentro de unos milenios, la existencia del oxígeno suficiente como para que nuestra propia especie sobreviva. ¿Qué he hecho? Al matar a esa mosca os he condenado también a vosotros, descendientes humanos. Pero la mosca mueve sus patitas en un leve temblor. ¡Parece que no ha muerto! Ya las agita con más fuerza, ya consigue ponerse en pie, ya se las frota, ya se alisa las alitas para disponerse a volar otra vez, ya revolotea en el cuarto de baño. ¡Vivid, respirad, humanos del futuro!. Mas ese vuelo torpe me devuelve la inicial ima-

THE FLY

THE FLY is buzzing in a rather lacklustre way around the bathroom. I look at it with disgust. What is this pest doing in a luxury hotel, and in February? I manage to hit it with a towel and it falls lifeless to the marble floor. It is a strange looking light-brown fly, not particularly large. At that moment it occurs to me that it may be the last specimen of a species that has, at a stroke, become extinct. It also occurs to me that in the bathroom it had its winter refuge. Furthermore, that in the garden splayed out beneath my window there is also a very rare plant that could only be pollinated by this fly. And that dependent on the pollination and reproduction of that plant, a few millenia hence, is the existence of a sufficient quantity of oxygen for our own species to survive. What have I done? By killing that fly I have also condemned you, human descendents. But the fly waves its legs in a slight tremble. Maybe it isn't dead! Now it's waving them with more strength, now it's standing on its own feet, now it's rubbing them together, now it's smoothing down its wings ready to fly again, now it's wheeling around my bathroom. Live and breathe, humans of the future! But

gen repugnante. Salgo de mi pasmo. ¿Qué hace aquí este bicho asqueroso? Cojo la toalla, la persigo, la golpeo, la mato. La remato.

that clumsy flight brings back my initial repugnance. What is this disgusting thing doing in here? I pick up the towel, I chase it, I hit it, I kill it. I finish it off.

Viajero aparente

El itinerario del aperitivo no fue como todos los días. Al encontrarse con él, muchos mostraban gran regocijo, le felicitaban por su regreso, se alegraban de volver a tenerlo entre ellos. *Bienvenido, Ramiro, ya era hora de que volvieses, bienvenido, te habías ido demasiado lejos*, le invitaban, un bar después de otro, *Ramiro ha vuelto*, decían, *esto hay que celebrarlo*. Bebió de más, y cuando después de despedirse se fue a su casa para almorzar, con bastante retraso, caminaba inseguro y tenía mucha confusión en la cabeza, pero no tanta como para no saber que nunca había salido de aquella ciudad y que no se llamaba Ramiro.

APPARENT TRAVELLER

HIS USUAL PRE-LUNCH aperitif rounds did not go as usual. He bumped into many people who seemed very gladdened to see him. They congratulated him on his return; they were pleased to have him amongst them again: "Welcome, Ramiro. It was about time you came home. Welcome. You went too far away."

They bought him drinks, bar after bar: "Ramiro's back," they would say. "This calls for a celebration."

He drank too much and having said goodbye he headed home for his lunch, very late now, walking unsteadily with a buzz of confusion in his head, but not dazed enough to shake the certainty that he had never left that city and that his name was not Ramiro.

EL EFECTO ICEBERG (ENSAYO)

En el último segundo, el enorme transatlántico consiguió esquivar el iceberg y todos los pasajeros llegaron a su destino. El estudio, profundo y meticuloso, analiza el papel que jugó cada uno de ellos en la sociedad a partir de su llegada, en los distintos aspectos y en relación con sus diferentes oficios y profesiones. La tesis del apasionante ensayo es que la actividad personal y social de aquel conjunto de personas ha sido decisiva para que los Estados Unidos, y en consecuencia el mundo entero, hayan llegado a atravesar el período de paz, solidaridad y equilibrio en todos los órdenes que estamos viviendo más de noventa años después. Los autores aseguran que si el *Titanic* se hubiera hundido aquella noche, la actualidad sería menos apacible y placentera.

THE ICEBERG EFFECT (A STUDY)

AT THE VERY LAST INSTANT, the enormous transatlantic liner managed to dodge the iceberg and all the passengers arrived at their destinations. This report presents an in-depth and meticulous analysis of the role that each one of them has played in society from the day of their arrival, taking into consideration all possible circumstances and relating to their particular professions and jobs. The thesis of this electrifying study is that the personal and social activities of that group of people has been decisive in allowing the United States, and therefore the rest of the world, to enjoy a period of peace, solidarity and stability at all levels, the extent of which we have been experiencing for the past ninety years. The authors assure us that if the *Titanic* had, in fact, sunk that night, our life nowadays would be much less peaceful and pleasant.

LA TOSTADORA

Es una mañana estupenda de primavera y vamos a desayunar en la terraza. Mientras mi mujer prepara el café llevo allí la fruta, las mermeladas, la miel, las tazas. Sobre la mesa, ya conectada al enchufe eléctrico, encuentro una tostadora nueva, sin duda una sorpresa de mi mujer, pues la antigua, muy vieja, estaba sin control y quemaba siempre el pan. Esta es oblonga, toda ella redondeada, brillante, con una forma aerodinámica, un diseño muy moderno, sin ángulos. Pero enseguida me pregunto por dónde se meterá el pan, pues no presenta ninguna abertura en la parte superior. Al fin veo, en el extremo opuesto al cable de conexión, un espacio horizontal, alargado, transparente. Imagino que es una bandeja, pero no soy capaz de extraerla, y mientras lo intento descubro en el interior algo que me impresiona desagradablemente, unos bichos vivos, de cabezas blanquecinas y extraños miembros prensiles. Doy voces a mi mujer y llega corriendo. *Yo no he puesto eso ahí*, responde, mirando a los bichos con la misma repugnancia que yo. De repente, el cable que conecta la supuesta tostadora a la corriente se suelta y se retrae dentro del artefacto, que recorre la mesa,

128

THE TOASTER

IT IS A WONDEFUL spring morning and we are about to have breakfast on the balcony. Whilst my wife prepares the coffee I lay out the fruit, marmalade, honey and mugs. On the table, already plugged into the wall socket, I find a new toaster. It is no doubt a surprise from my wife as the old one, a very old one, had lost its control knob and used to burn the toast. This one is oblong, finely rounded off, glimmering, with an aerodynamic profile, a very modern design without any angles. But I am soon asking myself where to introduce the bread, since it doesn't appear to have an opening at the top. At last I find, on the side opposite the electric cable, a long transparent horizontal slot. I assume it's a tray but I can't seem to pull it out. As I try to do so I discover in the interior something which gives me a nasty shock, some living things with whitish heads and strange prehensile appendages. I shout for my wife who comes running.

"I didn't put that there." She answers, looking at the things with as much disgust as my own. Suddenly, the cable connecting the supposed toaster to the electric current recoils

salta al aire, queda suspendido unos instantes y sale luego volando con rapidez hasta perderse en el cielo lleno de luz. El incidente nos ha inquietado mucho: a mi mujer le vibran con pavor las antenas y yo siento que se me han erizado los pelos del abdomen y que me tiemblan todas las patas.

into the object which rolls across the table, leaps into the air, hangs there for a few seconds and then shoots off at full tilt until it is a speck in a sky full of light.

The incident has unnerved us a good deal: my wife's antennae quiver with dread and I can tell that all the hair on my abdomen is standing on end and all my legs are shaking.

Huellas

Aquella papelera volcada. La pintada en el muro, como una indescifrable maldición. Varias colillas en la tierra, alrededor del árbol. Un periódico doblado sobre un banco. Una pelota pequeña flotando en el estanque. La marca del carmín en el borde de la taza. Un calcetín de niño colgando de la verja. Un escupitajo sanguinolento. La cicatriz del frenazo en el asfalto. Humedad en la almohada. Este relato.

FINGERPRINTS

THAT OVERTURNED waste bin. The graffiti on the wall, like an indecipherable curse. Several cigarette butts in the earth around the tree. A folded newspaper on a park bench. A small ball floating on the pond. The stain of lip gloss on the rim of a cup. A child's sock hanging from the fence. A bloodied glob of spit. The scar of tyre-marks on the tarmac. Dampness on the pillow. This story.

AGUJERO NEGRO

EL HOMBRE pasea por la playa solitaria y encuentra, deposita-
da en la orilla por las olas, una botella de cristal negro, con una
señal muy extraña impresa en su tapón. Mientras lo desenros-
ca, el hombre piensa en sus lecturas de niño: el genio cautivo,
los mensajes de náufragos. Abierta, la botella inicia una vio-
lentísima inhalación que aspira todo lo que la rodea, el hombre, la playa, las montañas, los pueblos, el mar, los veleros, las
islas, el cielo, las nubes, el planeta, el sistema solar, la Vía Lác-
tea, las galaxias. En pocos instantes, el universo entero ha que-
dado encerrado dentro de la botella. El movimiento ha sido tan
brusco que se me ha caído la pluma de la mano y han queda-
do descolocados todos mis papeles. Recupero la pluma, ordeno los folios, empiezo a escribir otra vez la historia del hombre
que pasea por la playa solitaria.

BLACK HOLE

THE MAN STROLLS along the deserted beach and finds, deposited on the shore by the waves, a black glass bottle with a very unusual symbol printed on its top. As he unscrews it, the man thinks about his childhood reading: the captive genie, the messages of the shipwrecked. Once open, the bottle begins a brutal suction which vacuums up everything around it: the man, the beach, the mountains, the villages, the sea, the sailboats, the islands, the sky, the clouds, the planet, the solar system, the Milky Way, the galaxies. In only a few moments the entire universe has been locked up inside a bottle. The movement was so sharp that I dropped my fountain pen and all my papers have been scattered. I pick up my pen. I sort out the sheets and continue writing the story about the man strolling along the solitary beach.

Cuento de Navidad

En el cielo del amanecer brillaba con fuerza aquel insólito luceroque la gente común contemplaba con asombro, pero el capitán sabía que era uno de los satélites de comunicaciones que permitían a su ejército mantener la supremacía en aquella guerra interminable.

—Mi capitán —transmitió el cabo—. Aquí solo hay varios civiles refugiados, unos pastores que han perdido el rebaño por el impacto de un obús y una mujer a punto de dar a luz.

El capitán, desde la torreta del carro, observaba el establo con los prismáticos.

—Registradlo todo con cuidado.

—Mi capitán —transmitió otra vez el cabo—, también hay un perturbado, vestido con una túnica blanca, que dice que va a nacer un salvador y otras cosas raras.

—A ese me lo traéis bien sujeto.

—Mi capitán —añadió el cabo, con la voz alterada—, la mujer se ha puesto de parto.

—Bienvenido al infierno— murmuró el capitán, con lástima.

A Christmas Tale

In the dawning sky, that astonishing bright star was burning fiercely and the people stared at it in fascination, but the Captain knew that it was one of the communication satellites that allowed his army to hold sway over that interminable war.

'Captain,' transmitted the Corporal, 'There are only refugee civilians here, some shepherds who lost their flock to a shell impact and there's one woman about to give birth.'

The Captain, from the turret of the tank, surveyed the stable with his binoculars:

'Search it all, carefully.'

'Captain,' again the Corporal transmitting, 'There's also a nutter in here, dressed in a white tunic, saying something about a saviour going to be born and some other nonsense.'

'Secure him and bring him to me.'

'Captain,' added the Corporal, with a new edge of agitation to his voice, 'the woman has gone into labour.'

'Welcome to hell,' muttered the Captain sympathetically.

A la luz del alba, aparecieron en la loma cercana las figuras de tres camellos cargados de bultos y montados por jinetes de raras vestiduras, y el capitán los observaba acercarse, indeciso.

—Abrid fuego —ordenó al fin—. No quiero sorpresas.

In the light of dawn, on the nearby brow of a hill, the silhouettes of three camels appeared, loaded with bundles, bearing three riders in strange attire. The Captain watched them draw closer, making up his mind.

'Open fire.' He ordered at last. 'I don't want any surprises.'

LA CITA

HOLA, susurra, y comprendo que esta vez ya no despertaré.

The Date

Hello, a whisper, and I understand that this time I won't wake up again.

This first edition of
WORDS IN THE SNOW
by CHRISTIEBOOKS
was printed in
Spring of 2007